Este libro pertenece a:

_____

_____

Un tesoro para los

tres

años

Un tesoro para los

tres

años

*Una recopilación de historias,
cuentos y canciones*

p

Índice

El patito feo

Un bonito día de verano, mamá pata tomaba el sol mientras ponía sus huevos.

—¡Cua, cua, cua! —contaba los huevos. Pero de repente se detuvo—. Vaya, este huevo es realmente grande —pensó—. Seguramente se convertirá en un pato grande y fuerte, como papá pato. —Y muy contenta volvió a depositarlo en el nido.

Un rato después, mientras mamá pata incubaba los huevos, se oyó un...

¡CR...AC!

¡Crac!, los huevos comenzaron a romperse. Y uno a uno, aparecieron patitos amarillos. Pronto, delante de ella había cuatro preciosos bebés. Sólo quedaba por abrirse el huevo más grande.

Mamá pata se sentó a esperar pacientemente, hasta que... cr...ac, el huevo se rompió. ¡Qué patito tan feo! Era delgaducho y gris, y no se parecía en nada al resto de sus hermanos.

—Mmm —pensó mamá pata—. Quizá no sea un pato. Lo llevaré al agua para asegurarme.

—Seguidme —dijo mamá pata.

Uno, dos, tres, cuatro y... cinco patitos siguieron a mamá pata. ¡Paf!... mamá pata se metió en el río.

—¡Cua, cua, cua! —llamó a los patitos, y todos entraron en el agua. Enseguida empezaron a nadar, incluso el que era feo y gris.

Poco después, mamá pata presentó a sus crías al resto de los patos de la granja.

—Cuando estéis frente al pato anciano —les dijo—, inclinad vuestras cabezas y saludad con un respetuoso «cua».

Los patitos, también el feo y gris, hicieron lo que su madre les había dicho. Pero el resto de los patos no podían dejar de reír al ver al patito feo.

—Jamás había visto un pato tan feo —exclamó uno.

—¿Qué es? —preguntó otro.

—Acércate —dijo el pato anciano a mamá pata—. Muéstrame a tus pequeños. ¡Vaya! Todos son preciosos, excepto el más grande.

—Puede que sea feo —dijo mamá pata—, pero sabe nadar muy bien.

—¡Qué pena! —dijo el anciano pato.

Los cuatro patitos amarillos estaban muy contentos en la granja. Pero el patito feo no era feliz. El resto de los patos y de las gallinas se reían de él y no le dejaban jugar con ellos porque era feo.

Un día, el patito feo decidió marcharse lejos de allí. Se metió en el río y empezó a nadar tan rápido como pudo, alejándose de la granja, de mamá pata y de sus cuatro hermanos. Al cabo de un rato, se encontró con dos ocas.

—Eres feo —se burlaron las ocas—. Eres tan feo que no podemos ayudarte, pero nos caes bien. ¿Quieres venir con nosotras?

Pero el patito feo no les pudo acompañar porque no sabía volar.

¡Cloc,
cloc!

¡Fiss,
fiss!

Anduvo y anduvo hasta que encontró una cabaña. En ella vivía una anciana con un gato y una gallina.

—¡Fiss, fiis! —hizo el gato.

—¡Cloc, cloc! —cloqueó la gallina.

—¡Vaya, vaya! —exclamó la anciana—. ¿Qué tenemos aquí? A partir de ahora comeremos huevos de pato.

E invitaron al patito feo a quedarse con ellos. Sin embargo, cuando vieron que el patito no ponía huevos, la gallina y el gato se rieron de él.

—¿Puedes poner huevos como yo? —le preguntó la gallina en tono de burla.

16

—No —respondió el pobre patito.

—¿Puedes ronronear como yo? —preguntó el gato.

—No —respondió el patito de nuevo.

—¡Feo! ¡Inútil! —dijeron la gallina y el gato a la vez.

El patito regresó al río y allí vivió solo.

El invierno no tardó en llegar y el patito feo estaba cansado y tenía mucho frío. Un día, un granjero lo vio y se lo llevó a su casa.

Los hijos del granjero quisieron jugar con el patito, pero éste pensó que lo único que pretendían era burlarse de él, así que de un salto se metió dentro del cubo de la leche. El cubo volcó y la leche se derramó por el suelo.

¡AHHH!

—¡Ahhhh! —exclamó la esposa del granjero.

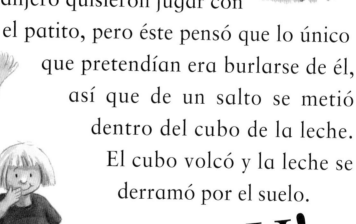

—¡Ja, ja! —rieron los hijos del granjero.

Afortunadamente, la puerta estaba abierta y el patito feo pudo emprender el vuelo.

Cuando finalmente llegó la primavera, el patito parecía feliz. Un día, agitó las alas y se elevó hacia el cielo. Al mirar abajo vio un jardín con un enorme lago. En él había unos preciosos cisnes blancos nadando.

—Tengo que ir con ellos —pensó el patito feo. Aterrizó en el agua y nadó hacia los cisnes. Éstos se apresuraron a ir a su encuentro. El patito pensó que querían atacarle e inclinó la cabeza. Al hacerlo, vio el reflejo de su

cuerpo y de su cara en
el agua. No podía creer
lo que estaba viendo. No
era un patito gris y feo. En
realidad, era un precioso cisne blanco.

Mientras los demás cisnes se amontonaban alrededor
de su nuevo amigo, unos niños se acercaron a la orilla del
agua.

—Fijaos, hay un nuevo cisne en el lago —dijo uno de
ellos—. Es el cisne más bonito que jamás he visto.

Y los viejos cisnes hicieron una reverencia al joven cisne.
¡Era el día más feliz de su vida!

Mi pato

Mi pato no come,
no bebe, ni usa zapatos,
a la rueda de mi pato,
a la redondela,
a la media vuelta,
a la vuelta entera.

Cinco patitos

Cinco patitos fueron a nadar,
sin darse cuenta se empezaron a alejar.
—¡Cua, cua, cua!—, mamá no paraba de llamar.
Cuatro patitos regresaron a la hora de cenar.

Cuatro patitos fueron a nadar,
sin darse cuenta se empezaron a alejar.
—¡Cua, cua, cua!—, mamá no paraba de llamar.
Tres patitos regresaron a la hora de cenar.

Tres patitos fueron a nadar,
sin darse cuenta se empezaron a alejar.
—¡Cua, cua, cua!—, mamá no paraba de llamar.
Dos patitos regresaron a la hora de cenar.

Dos patitos fueron a nadar,
sin darse cuenta se empezaron a alejar.
—¡Cua, cua, cua!—, mamá no paraba de llamar.
Un patito regresó a la hora de cenar.

Un patito fue a nadar,
sin darse cuenta se empezó a alejar.
—¡Cua, cua, cua!—, mamá no paraba de llamar.
Cinco patitos regresaron a la hora de cenar.

¡No nos vamos a mover!

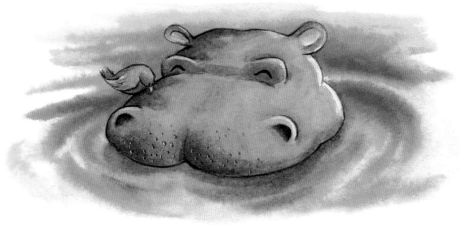

Un caluroso día, en un caluroso país, los charcos se convirtieron en los únicos espacios frescos donde se podía pasar el rato. Pero hacía días que no llovía y no había suficiente agua para todos. Por ello, los animales decidieron hacer turnos. Era el turno de los hipopótamos, y una cosa estaba clara…, ellos no pensaban moverse.

—Estamos muy fresquitos aquí —dijeron a los otros animales.

—¡Por favor! —chillaron los buitres sudorosos desde la orilla—.

22

¡Por favor! ¿Podemos turnarnos un ratito?

Pero los hipopótamos contestaron:

—¡No nos vamos a mover!

Así que los buitres pic-pic picotearon con sus afilados picos la dura piel de los hipopótamos para darles una lección. Pero éstos ni se inmutaron.

—¡Ssssseñoressss por favor! —sisearon las serpientes mientras se deslizaban hasta la orilla—. Ssssseñoressss, ¿podemos compartir el charco con vosotros?

Pero los hipopótamos se limitaron a repetir:

—¡No nos vamos a mover!

¡No nos vamos a mover!

Entonces las serpientes enrollaron sus largos cuerpos alrededor de las patas de los hipopótamos para sacarlos del agua. Pero los hipopótamos eran más fuertes y no consiguieron moverlos.

23

—¡Pooor favooor! —relincharon las cebras, intentando conseguir un espacio en el agua—. ¡Pooor favooor! ¿Podríais hacernos un rinconcito?

Y los hipopótamos dijeron:

—¡No nos vamos a mover!

Las cebras patalearon el suelo con sus pezuñas pensando que así los hipopótamos se asustarían y se irían. Pero los hipopótamos eran tan valientes que ni siquiera pestañearon. Tan sólo sabían decir...

—¡No nos vamos a mover!

¡NO NOS VAMOS A MOVER!

A medida que el sol iba calentando más, otros animales se acercaron a la charca. Desde la orilla observaban a los egoístas hipopótamos. No tenían intención de ceder ni ante los amables antílopes, que en una ocasión les ayudaron a aplastar con la cola a todas las moscas que merodeaban en sus orejas. Hoy, los hipopótamos que permanecían en la refrescante agua no pensaban moverse… ¡ante nadie!

De repente, un extraño ruido alertó a los hipopótamos, que escucharon atentamente. El ruido estaba provocado por la carrera de los antílopes, el galope de las cebras, el movimiento deslizante de las serpientes y el vuelo de los buitres.

¡CATACLOC! ¡CATACLOC! ¡CATACLOC!
¡CATACLOC!¡CATACLOC!
¡CATACLOC!

Los hipopótamos permanecieron inmóviles, con los ojos abiertos de par en par y sus enormes patas temblando. Sentían escalofríos y no sabían qué hacer.

—¡Socorro! —gritaron los hipopótamos más pequeños.

—¡No nos vamos a mover! —dijeron en voz baja los hipopótamos adultos.

De repente, todo quedó en silencio. Sólo se escuchaba un estruendo mientras una nube de polvo se acercaba velozmente a la charca.

—¡Tenemos que movernos! —exclamaron los hipopótamos mientras emprendían la huida.

En realidad, todo el alboroto estaba provocado por la llegada de un ejército de elefantes, sedientos y acalorados, que no estaban dispuestos a que nadie se interpusiera en su camino. Así que corrieron hacia la charca y se tiraron a ella.

—¡Oooooh! —suspiraron aliviados los elefantes.

Mientras tanto, el resto de los animales, excepto los hipopótamos, regresaron a la charca para observar a los elefantes refrescarse en el agua.

—De una cosa estamos seguros —dijeron los buitres—, los elefantes no se moverán por nada ni por nadie.

Pero estaban equivocados, porque cuando los elefantes se dieron cuenta de que los restantes animales estaban bajo el sol abrasador, empezaron a contar:

—Uno y... dos y... tres y... —con sus largas trompas sorbieron agua, apuntaron y lanzaron chorros de agua a los animales de la orilla.

¡Oooooh! —¡Oooooh! —suspiraron los antílopes.

—¡Oooooh! —relincharon las cebras.

—¡Oooooh! —sisearon las serpientes.

—¡Oooooh! —graznaron los buitres.

—¡Oooooh! —se lamentaron los hipopótamos, que lo observaban todo desde lejos.

Ellos también querían que los rociaran. Despacio, muy despacio, los acalorados hipopótamos se fueron acercando a la charca.

Pero en el agua sólo había espacio para un grupo de animales y ahora era el turno de los elefantes.

—¡No nos vamos a mover! —empezaron a gritar los elefantes cuando vieron que los hipopótamos se aproximaban a la charca.

—¡Por favorrrrr! —pidieron los hipopótamos—. Por favorrrrr, ¿podemos entrar un ratito en el agua?

—¡No, no podéis! —dijeron los elefantes—. Habéis sido unos avariciosos.

—¡Vivaaa! —gritaron juntos los antílopes, las serpientes, las cebras y los buitres. Ninguno de ellos había olvidado que los hipopótamos no los habían dejado entrar en la charca.

28

A los acalorados hipopótamos no les quedó otro remedio que alejarse de la charca. Los elefantes los observaron y sintieron lástima de ellos. Entonces empezaron a contar:

—Uno y... dos y... tres y... —y tomaron agua con sus largas trompas, apuntaron hacia los hipopótamos y les lanzaron chorros de agua.

¡UNO! ¡DOS! ¡TRES!

—¡Ooooooooooooooooooooh!
—exclamaron los hipopótamos.

Y una cosa estaba clara... definitivamente no pensaban moverse del agua.

¡Oooooooooh!

29

Rueda, rueda en el jardín

Rueda, rueda en el jardín
como hace el osito.

Un pasito,
dos pasitos,
me hace cosquillas el jazmín.

El cerdito

Este cerdito se fue al mercado,
este cerdito se quedó en casa,
este cerdito comió pescado,
este cerdito se quedó sin nada.
El pobrecito sollozaba:
—¡Bua, bua, bua, bua, bua!
—hasta que llegó a casa.

La araña

La pequeña araña
bajó a pasear,
cayó la lluvia
y tuvo que parar.
Salió el sol,
y el charco se secó.
La pequeña araña
de nuevo subió.

Coco, el cocodrilo solitario

Coco, el cocodrilo, se siente solo. Los otros animales de la selva tienen montones de hermanos y hermanas y muchos amigos. Pasan el día jugando, riendo, persiguiéndose unos a otros, subiendo a los árboles y corriendo por la orilla del río.

Coco los observa con atención. A él nadie le hace caso, nadie le pregunta si también quiere jugar y divertirse. Un día, Coco pregunta a su madre si puede tener algún hermanito para poder jugar con él.

—Hijo mío —le contesta—, estoy demasiado ocupada cuidando los huevos como para pensar en otras cosas. ¡Ve a jugar! ¡Y, por favor, no pongas esa cara tan triste! Es un bonito día soleado y deberías sonreír y estar contento.

—¡Eh! ¡Cuidado con la cola! —le advierte su madre—. Un poco más y golpeas los huevos.

Coco decide ir a dar una vuelta por la orilla. Al cabo de un rato, descubre a la leopardo Lara durmiendo bajo el caluroso sol.

—Lara, ¿crees que alguno de tus hermanitos querría ser también mi hermano? —pregunta Coco.

—¡No! —dice Lara—. A mis hermanos les asustan tus dientes. Además, mi madre ahora les está limpiando las orejas.

Poco después, Coco llama al señor Loro, que se encuentra en la rama de un árbol.

—Hola señor Loro. Usted tiene muchos polluelos en el nido. ¿Puede dejarme uno para jugar con él?

—No, no, no. Mis polluelos aún son demasiado pequeños para abandonar el nido. ¡Son bebés, son bebés! Estoy convencido de que cuando les crezcan las plumas y puedan volar jugarán contigo. Pero ahora son pequeñitos, demasiado pequeñitos —contesta el señor Loro.

Así que Coco se aleja de la orilla y se dispone a visitar a Emma, la elefanta, para pedirle que le deje a su hijito para jugar con él.

—¡Oh, no! —dice Emma—. Mi hijito todavía es pequeño y no soportaría separarme de él. Seguro que pronto podrá jugar contigo, pero ahora tiene que tomar un baño y luego tiene que aprender a lanzar chorros de agua con su trompa.

Coco va en busca de Clara, la chimpancé que está observándolo desde lo alto de un árbol.

—Clara, por favor, ¿alguno de tus bebés gemelos podría bajar a jugar conmigo?

—No, lo siento —contesta Clara—. A mis bebés les encanta estar aquí arriba, saltando de árbol en árbol subidos a mi espalda. No serían felices en tu río húmedo. ¡Lo siento, Coco! Pero no estés triste, seguro que pronto encontrarás un amigo con quien jugar.

Coco sigue adentrándose en la selva. Al poco rato, se encuentra delante de las cuevas donde viven los gorilas.

—Hola —dice Coco—. ¿Qué tal, pequeños gorilas? ¿Queréis jugar conmigo?

De repente, Coco se sorprende al darse cuenta de que dos pequeños gorilas salen de una de las cuevas. Están contentos de verle. Los cachorros juegan con Coco durante un buen rato, rodando montaña abajo, riendo, persiguiéndose unos a los otros.

Pronto, mamá gorila llama a sus crías para que regresen a la cueva.

—Deprisa, es la hora de la cena. Dejad de jugar con Coco y volved a casa —les dice.

¡. . .la cena!

—¡Adiós Coco! ¡Vuelve muy pronto para que podamos jugar! —dicen los gorilas.

Coco vuelve a estar solo. Lentamente, se encamina hacia su casa. Dice adiós a los chimpancés, a los elefantes y a los leopardos. Se está haciendo tarde. Muchos ojos brillantes observan a Coco desde la oscuridad mientras corre por el sendero. Finalmente, ve la orilla del río.

—Rápido —croan las ranas—. ¡Rápido, Coco! Tu madre tiene una estupenda sorpresa para ti.

Coco se apresura hacia la orilla, donde su madre lo espera con una gran sonrisa.

—¡Mira! —le dice su madre de repente—. ¡Fíjate Coco, los huevos ya se han roto!

Coco tiene delante suyo diez bebés de cocodrilo, que empiezan a trepar por encima de Coco mientras lo observan.

—¡Hola, Coco! —dicen diez vocecitas de cocodrilo a la vez.

Poco después, los pequeños cocodrilos se han subido encima de Coco, unos en la cabeza para deslizarse por su nariz y otros para balancearse en su cola.

—¡Me están haciendo cosquillas! —ríe Coco mientras su madre los vigila atentamente para asegurarse de que las crías no hagan daño a Coco o se caigan al río.

—¡Eres nuestro hermano mayor! —exclaman contentos los pequeños.

—¿Quieres jugar con nosotros? —le preguntan.

—¡Di que sí! ¡Por favor! ¡Juega con nosotros! —no dejan de repetir.

Coco sonríe como sólo un cocodrilo puede sonreír. Finalmente, tiene hermanos y hermanas para jugar. En realidad, ¡tiene más hermanos y hermanas que cualquier otro animal de la selva!

En la granja de Pepito

En la granja de Pepito
¡ía, ía, o!
Lo pasamos muy bonito
¡ía, ía, o!

Con la vaca ¡muuu!, vaca ¡muuu!,
vaca, vaca, vaca.

En la granja de Pepito
¡ía, ía, o!
Lo pasamos muy bonito
¡ía, ía, o!
Con la vaca ¡muuu!, vaca ¡muuu!,
vaca, vaca, vaca.
Con la oveja ¡beee!, oveja ¡beee!,
oveja, oveja, oveja.

En la granja de Pepito
¡ía, ía, o!
Lo pasamos muy bonito
¡ía, ía, o!
Con la vaca ¡muuu!, vaca ¡muuu!,
vaca, vaca, vaca.
Con la oveja ¡beee!, oveja ¡beee!,
oveja, oveja, oveja.
Con el caballo ¡hiiii!, caballo ¡hiiii!,
caballo, caballo, caballo.

En la granja de Pepito
¡ía, ía, o!
Lo pasamos muy bonito
¡ía, ía, o!
Con la vaca ¡muuu!, vaca ¡muuu!,
vaca, vaca, vaca.
Con la oveja ¡beee!, oveja ¡beee!,
oveja, oveja, oveja.
Con el caballo ¡hiiii!, caballo ¡hiiii!,
caballo, caballo, caballo.
Con el cerdo ¡oenc!, cerdo ¡oenc!,
cerdo, cerdo, cerdo.

En la granja de Pepito
¡ía, ía, o!
Lo pasamos muy bonito
¡ía, ía, o!

La princesa
y el guisante

Hace mucho tiempo, en un país muy lejano, vivía un príncipe que quería casarse. Pero no quería una chica cualquiera, él quería casarse con una princesa de verdad.

El príncipe viajó de un país a otro buscando una esposa, pero no sabía cómo distinguir una princesa real de una falsa. Conoció a montones de princesas, pero a todas les encontraba algún defecto.

Algunas eran demasiado altas, otras, demasiado bajitas. También las había demasiado bobaliconas, o demasiado serias. Incluso una vez conoció a una que era ¡demasiado guapa!

Después de viajar a lo largo y ancho del planeta, el príncipe empezó a pensar que nunca encontraría una princesa real, y decidió volver a su palacio. Pero a medida que pasaba el tiempo, el príncipe se sentía cada vez más infeliz. Su padre y su madre, el rey y la reina, estaban muy preocupados. No sabían qué hacer para que su hijo estuviese alegre y contento.

Una noche oscura de tormenta, llamaron a la puerta de palacio. El rey en persona fue a abrir. Y podéis imaginaros su sorpresa al ver ante él a una joven empapada y temblando de frío.

—Entra, entra —dijo el rey amablemente—. ¿Quién eres? ¿Qué haces fuera de casa en una noche como ésta?

—Buenas noches, soy una princesa —afirmó la muchacha ante el sorprendido rey—. Estoy asustada y con la tormenta me he perdido. ¿Puedo pasar la noche aquí?

El rey observó a la joven con incredulidad. Pero el príncipe empezó a sonreír nada más oír su dulce voz y ver su preciosa sonrisa. La reina observó la ropa mojada y el pelo andrajoso de la chica.

—¡Mmm! Pronto sabremos si eres una princesa de verdad —pensó la reina—. Conozco la manera de saberlo.

La reina tenía un plan pero lo guardó en secreto. Sigilosamente, entró de puntillas en la habitación de su invitada. Retiró las sábanas y las mantas de la cama y colocó tres guisantes minúsculos debajo del colchón. Luego, añadió vein-

te colchones más, uno encima del otro. Finalmente, depositó veinte edredones de pluma encima de los colchones. Como la cama era tan alta, la pobre princesa necesitó una escalera para poder subir a ella.

A la mañana siguiente, la reina preguntó a la princesa cómo había dormido.

—He dormido mal —contestó la princesa—. He pasado una noche terrible. En la cama había algún objeto duro y tengo magulladuras por todas partes.

La reina pensó que sólo una princesa de verdad era capaz de notar tres guisantes minúsculos bajo veinte colchones y veinte edredones de pluma. Y todos estuvieron de acuerdo en que era realmente una princesa de verdad.

El príncipe estaba muy feliz de haber encontrado una esposa tan hermosa. Se casaron de inmediato y vivieron felices durante muchos años.

Y los tres guisantes fueron a parar al museo del palacio, donde todavía están expuestos. ¡A no ser que alguien los haya tomado prestados para encontrar una princesa de verdad!

La cerdita Pansy

Un cerdito travieso puede meterse en un montón de problemas. ¡Dos cerditos traviesos, mucho peor! Pero ¿os imagináis seis cerditos traviesos? La pobre señora Cerdita no se lo podía creer. ¡Desde el mismo instante en que sus seis cerditos nacieron, se metieron en problemas!

Uno era Percy, a quien le encantaba meter su sonrosado hocico en lugares que no debía.

También estaba Penny, que lo exploraba... ¡todo!

El pequeño Pic siempre se perdía.

Popi y Pipa, los más terribles, comían todo lo que encontraban.

Y después estaba Pansy, que se metía en más problemas que los otros cinco juntos.

Pero no es que Pansy fuera más traviesa que Percy, ni más bobalicona que Popi y Pipa, ni más valiente que Penny y que Pic. Entonces, ¿por qué la señora Cerdita se veía obligada a hablar muy seriamente con ella tres veces al día?

Los otros cerditos eran como cinco guisantes en la vaina. Eran muy revoltosos y de color rosa. Eran sonrosados desde la graciosa colita enrollada hasta el suave hocico. Resultaba muy difícil distinguirlos.

En cambio, Pansy era diferente. También era de color rosa, pero en la parte trasera tenía una mancha marrón. ¡Parecía una flor!

Cuando la señora Cerdita vio cuatro pequeños traseros rosa en el abrevadero de los caballos, comiendo lo que no debían, no podía estar segura de quién era quién. Excepto en uno de los casos; aquel pequeño trasero sólo podía ser el de Pansy.

—¡Pansy! —gritó la señora Cerdita—. ¡Sal de ahí inmediatamente! ¡Y vosotros también... eh... los otros tres!

Sucedió lo mismo cuando la señora Cerdita vio cinco pequeños cerditos nadando en el estanque de los patos y molestándolos. Cuatro de esos cerditos eran iguales. El quinto, que no paraba de chapotear, tenía una flor en el trasero que le resultaba muy familiar.

—¡Pansy! —advirtió la señora Cerdita—. ¡Sal del estanque inmediatamente! ¡Y vosotros también... eh... los otros cuatro!

Los patos, los caballos y las gallinas estaban acostumbrados a escuchar los gritos de la señora Cerdita a todas horas, día y noche.

—¡Pansy! ¡Pansy! ¡P-a-n-s-y!

Los otros cerditos también estaban acostumbrados. Pero Pansy creía que aquello no era justo. Siempre la culpaban a ella, sólo porque era diferente.

Un día de lluvia, los seis cerditos, cansados de estar encerrados en casa, decidieron salir a jugar bajo la lluvia.

—Me voy a explorar
—dijo Penny. Y se puso a correr por el prado.

—¡Espérame! —dijo Pic, trotando tras ella.

—¿Quieres «comer» gotas de lluvia? —preguntó Poppi a Pipa, y también se fueron corriendo.

—¡Vamos a chapotear en los charcos! —propuso Percy.

Y Pansy, que no quería quedarse atrás, le siguió.

Durante el resto de la mañana, los seis cerditos, absolutamente empapados de agua, se lo pasaron en grande. Cuando descubrieron que la orilla del estanque se había convertido en un increíble charco de barro, se volvieron locos de alegría.

—¡Chop! ¡Zas!—patinaban y se deslizaban sin descanso.

—¡Uaaah! –se embadurnaban de barro e iban de un lado a otro.

Cuando la señora Cerdita fue a buscar a sus seis traviesos cerditos rosa, no los encontró. En su lugar vio a seis cerditos de color marrón, recubiertos de barro.

51

La señora Cerdita abrió la boca para chillar, pero inmediatamente la cerró de nuevo. No estaba segura. ¿Eran aquellos sus hijos? Decidió ponerse a buscar el trasero de Pansy, ya que era la única manera de salir de dudas, pero todo lo que veía era barro, barro y más barro.

La señora Cerdita intentó parecer enfadada. Pero cuando

una gran bola de barro salió disparada hacia su oreja, no pudo controlarse y empezó a reír. Un minuto después, saltó sobre el charco de barro con un gran estruendo, revolcándose y embarrándose de los pies a la cabeza.

—¡Me encanta jugar en el barro! —exclamó Pansy llena de felicidad.

—A mi también —dijo la señora Cerdita.

Y así fue como la traviesa cerdita, a quien no habían reñido en todo el día, abrazó feliz a su mamá en medio del barro.

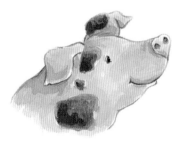

El autobús

Las ruedas del autobús ruedan y ruedan,
ruedan y ruedan,
ruedan y ruedan,
ruedan y ruedan las ruedas del autobús.

La bocina del autobús hace mec, mec, mec,
mec, mec, mec,
mec, mec, mec,
mec, mec, mec, hace la bocina del autobús.

Las luces del autobús se encienden y se apagan,
se encienden y se apagan,
se encienden y se apagan,
se encienden y se apagan las luces del autobús.

Las puertas del autobús se abren y se cierran,
se abren y se cierran,
se abren y se cierran,
se abren y se cierran las puertas del autobús.

Los niños en el autobús suben y bajan,
suben y bajan,
suben y bajan,
suben y bajan los niños del autobús.

Tío Pulpo

Tío Pulpo es muy amable. Cada vez que las pequeñas criaturas del mar tienen un problema, van a visitar a tío Pulpo para que les dé un abrazo. Como tiene tantos brazos, puede abrazar a varios animales al mismo tiempo.

—He perdido mi mejor concha —se lamenta el pez Payaso.

—No te preocupes —lo consuela tío Pulpo—. Te encontraré otra.

Tío Pulpo va a buscar una bonita concha rosa dentro de

su cueva y se la da al pez Payaso. Éste la empuja con su morro, sonriendo y moviendo las aletas.

—¡Gracias! —exclama el pez mientras se aleja.

La pequeña cangrejo Cora está triste.

—No me siento bien —dice—. Me duelen las pinzas y mi cascarón está tirante.

—No te preocupes —dice tío Pulpo—. Te está creciendo un cascarón nuevo. Dentro de pocos días estarás bien.

—¿De verdad? —dice la pequeña Cora,

satisfecha de saber que pronto tendrá un flamante cascarón.

Estrellita de mar está llorando. Unas enormes lágrimas se deslizan por su cara hasta las puntas de la estrella.

—¡Me he perdido! —se lamenta—. No puedo encontrar el camino para regresar a casa.

—Tranquila —la calma tío Pulpo mientras le seca las lágrimas con una suave alga—. Sé dónde vives. ¿Quieres que te acompañe?

Tío Pulpo toma en sus apacibles y grandes brazos a la estrellita y la lleva hasta su casa.

Un día, el delfín Dopi se acerca a preguntar a tío Pulpo si puede ayudarle a hacer los deberes. También llega la foca Silki, que quiere contarle la pelea con su hermano, y la tortuga Tina, que se siente sola y necesita un gran abrazo.

—Tío Pulpo, ¿estás ahí? —pregunta el delfín Dopi.

—Tío Pulpo, ¿dónde estás? —solloza la foca Silki.

—Por favor, ¡sal! —dice la tortuga Tina.

Los tres pequeños amigos buscan por todas partes, pero tío Pulpo no está. Su cueva está vacía.

En aquel momento, la vieja y sabia morsa Wanda llega hasta allí nadando y moviendo sus largos bigotes.

—¿Qué pasa? —pregunta.

—Tío Pulpo ha desapareci-
do —explica Dopi.

—¡Vaya, vaya! —dice la
vieja Wanda—. Hace un rato
he visto a tío Pulpo nadando
hacia el buque naufragado,
pero ya debería estar aquí.

—Quizá se encuentra en un
apuro y necesita nuestra ayuda
—solloza la tortuga Tina.

Todos juntos se dirigen hacia el buque naufragado.

Mientras buscan a tío Pulpo, Nic, el tiburón, sale a su
encuentro.

—¡Vete, nos das miedo! Podrías devorarnos —gritan la
foca Silki y Dopi, el delfín—. ¡Vete!

—¡Pero si sólo quiero ayudaros! —exclama el tiburón Nic—. Tío Pulpo también
es amigo mío.

Y decide seguirles. Cuando
logran alcanzar el buque
hundido, ven a tío Pulpo
que ha quedado atra-
pado en una vieja red
de pesca.

Tío Pulpo intenta soltarse moviendo frenéticamente sus ocho patas enredadas entre los nudos de la red. Pero todos los intentos son inútiles.

—Menos mal que me habéis encontrado —dice con alivio a sus amigos.

La tortuga Tina procura deshacer los nudos, pero sus aletas no tardan en enredarse.

Dopi, el delfín, golpea la red con su cola, pero sus aletas también quedan atrapadas.

Silki, la foca, azota con fuerza la red, pero también acaba enredada en ella.

—¡Deteneos! —les advierte Wanda, la sabia morsa—. Tenemos con nosotros a un compañero que puede solucionar el problema. Ven aquí, Nic.

El tiburón Nic se acerca tímidamente. Luego, de un solo mordisco, agujerea la red. Tío Pulpo está libre. Nic vuelve a morder la terrible red con sus afilados dientes y libera al resto de los animales.

Tío Pulpo les explica lo que ha sucedido:

—Quería encontrar un regalo para animar a Nic. Él estaba triste porque sois muy poco amables con él.

—Tus afilados dientes nos asustan —le dice la foca Silki al pequeño tiburón—. Pero ahora nos han sido de mucha utilidad.

—¡Sin tu ayuda, habríamos quedado atrapados en la red para siempre! —añaden Dopi, el delfín, y la tortuga Tina.

Desde ese día, todos quieren jugar con el tiburón Nic. Han comprendido que él nunca ha querido comerse a un compañero. Cada tarde se reúnen todos los amigos, mientras tío Pulpo los saluda desde el interior de su cueva.

Uno, dos, tres, cuatro, cinco

Uno, dos, tres, cuatro, cinco,
seis, siete, ocho, nueve y diez.
Diez peces en un solo día pesqué
pero luego los solté.
Uno, dos, tres, cuatro, cinco,
seis, siete, ocho, nueve y diez.
Diez peces un día conté
y a cada uno de ellos saludé.

La gallina

Diez pollitos pían,
pío, pío, pío,
cuando tienen hambre,
cuando tienen frío.

La gallina va en busca
de maíz y trigo,
y a los diez pollitos,
pío, pío, pío,
da comida y abrigo.

63

Pulgarcita

Había una vez una mujer que quería tener un hijo. Pero los años pasaban y el hijo deseado no llegaba. Un día, la mujer decidió ir a visitar a una bruja. Ésta le dio una semilla de cebada y le dijo que la plantara en una maceta.

La mujer siguió sus instrucciones y de la semilla creció una bonita flor con los pétalos cerrados. La mujer los besó y de repente la flor se abrió. En su interior apareció una niña minúscula. Era muy hermosa, pero más pequeña que el pulgar de la mujer. Por ello, la mujer

y su marido decidieron llamarla Pulgarcita.

Prepararon la cama del nuevo bebé con una cáscara de nuez, y como sábana pusieron una hoja de rosa. De noche, la niña dormía en su cáscara y durante el día, jugaba encima de la mesa.

Pero una noche, un horrible sapo saltó junto a la cama de Pulgarcita.

¡CROAC!

—¡Croac! —croó el sapo—. Sería la esposa perfecta para mi hijo.

El sapo tomó a Pulgarcita mientras dormía y se la llevó a su casa hecha de barro.

—¡Croac! ¡Croac! —croó su horrible hijo al ver a la bella Pulgarcita.

—¡Aaaaaaaj! —gritó Pulgarcita al ver a los dos horribles sapos—. ¡Aaaaaaaj! —volvió a chillar horrorizada cuando oyó que mamá sapo quería casarla con su espantoso hijo.

Los sapos temían que Pulgarcita huyera, y por ello la colocaron sobre una hoja de azucena en medio del río. De esta manera era imposible que escapara. Pulgarcita lloraba y lloraba. Cuando los peces la oyeron, asomaron sus cabezas en el agua. Asombrados por la belleza de la minúscula Pulgarcita, decidieron ayudarla. Mordisquearon el tallo que sujetaba la hoja y lograron soltarla. Entonces, Pulgarcita comenzó a alejarse río abajo.

Un día empezó a soplar un viento tan fuerte que arrastró la hoja de azucena en la que iba Pulgarcita hasta la orilla.

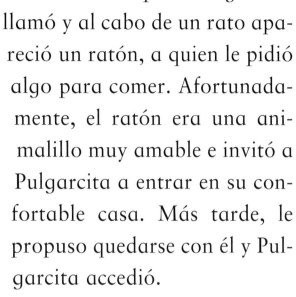

Durante el verano, Pulgarcita vivió en el bosque. Pero cuando llegó el frío invierno, pronto empezó a pasar hambre. Después de andar varios días encontró una puerta escondida entre las flores del campo. Pulgarcita llamó y al cabo de un rato apareció un ratón, a quien le pidió algo para comer. Afortunadamente, el ratón era una animalillo muy amable e invitó a Pulgarcita a entrar en su confortable casa. Más tarde, le propuso quedarse con él y Pulgarcita accedió.

Unos días después, el ratón le habló de su vecino, el señor Topo.

—Es un hombre muy rico y sería estupendo si quisieras casarte con él. Como sabes, los topos son ciegos, así que estaría encantado de oír tu bonita voz.

Sin embargo, después del primer encuentro con el señor Topo, Pulgarcita no quiso casarse con él. Ciertamente era muy rico, pero odiaba la luz del sol y las flores, aunque nunca las había visto. En cambio, el señor Topo se enamoró de Pulgarcita en el mismo instante en que escuchó su dulce voz. El ratón y el señor Topo acordaron que Pulgarcita debía ser su esposa.

El señor Topo escarbó un túnel entre ambas casas, y un día, invitó a Pulgarcita para que lo viera. A medio camino, el señor Topo apartó un pájaro que

yacía muerto en el suelo de un puntapié.

—¡Papanatas! —gruñó—. Este insensato debió de morir a principios de invierno.

Pulgarcita sintió una enorme tristeza por el pobre pájaro, pero no dijo nada.

Más tarde, cuando el ratón estaba dormido, Pulgarcita bajó al túnel.

—Adiós, pajarillo —susurró.

Apoyó la cabeza en el pecho del pájaro y con gran sorpresa notó que algo se movía. El pájaro no estaba muerto. Había permanecido todo el invierno dormido y ahora empezaba a despertar.

Mientras duró el frío, Pulgarcita cuidó del pájaro. Al llegar la primavera, ya se había recuperado y Pulgarcita lo condujo a través del túnel hasta el exterior. Allí, en pleno campo, el pájaro se hallaba de nuevo en libertad.

—Adiós —sollozó Pulgarcita cuando vio volar al pájaro.

El tiempo pasaba y el día de la boda de Pulgarcita estaba al caer. Deseando ver por última vez el mundo exterior antes de encerrarse en

la oscura
vivienda del señor
Topo, la niña se fue
a pasear por el prado.

—¡Píooo, píooo! —escuchó
encima de su cabeza.

Era el pájaro amigo de Pulgarcita.
Al ver a la niña tan triste, le dijo:

—Voy a marcharme a un lugar cálido a
pasar el invierno. Ven conmigo. Te llevaré senta-
da en mi lomo.

Pulgarcita no dudó ni un momento y tras un largo viaje,
llegaron a un hermoso y cálido lugar. El pájaro depositó a
la niña encima de los pétalos de una preciosa flor. Entonces,
Pulgarcita descubrió con sorpresa que, sentado en el centro
de la flor, había un hombrecillo con alas. Era el rey de las
flores, quien enseguida se enamoró de Pulgarcita y le pidió

si quería casarse con él. Pulgarcita asintió contenta.

El día de su boda, Pulgarcita recibió muchos regalos. Pero el mejor de todos fue un par de alas minúsculas que utilizó para poder volar de flor en flor. ¡Por fin, Pulgarcita había encontrado la felicidad!

¡La selva, la selva!

¡La selva, la selva! Los ruidos de la selva.

—¡Parrac! ¡Parrac! ¿Quién es?

Es un pájaro que tiene los colores del arco iris, el cuerpo cubierto de plumas brillantes y una elegante cola. Su pico tiene forma de gancho y sus ojos son como gemas.

—¡Parrac! ¡Parrac! Soy un papagayo—, dice Papagayo orgulloso.

¡La selva, la selva! Los ruidos de la selva.

—¡Croac! ¡Croac! ¿Quién es?

Un escurridizo y fangoso anfibio de piel rugosa y ojos grandes que observan fijamente todo lo que se mueve. Tiene unas patas pegajosas que lo ayudan a trepar.

—¡Croac! ¡Croac! Soy la rana de los árboles —croa Rana orgullosa.

¡La selva, la selva! Los ruidos de la selva.
—¡Uu! ¡Uu! ¿Quién es?

Un mamífero grande, que todo lo ve, con todo el cuerpo recubierto de pelo de color naranja. Disfruta mascando hojas y fruta, y pasa la mayor parte de su vida columpiándose en los árboles.

—¡Uu! ¡Uu! Soy un orangután —dice Orangután orgulloso.

¡La selva, la selva! Los ruidos de la selva.
—¡Ssss! ¡Ssss! ¿Quién es?

Un reptil muy largo con la piel llena de escamas que serpentea y se mueve por el suelo del bosque. Tiene una vista muy aguda y enseña constantemente su lengua bífida.

—¡Sssss! ¡Sssss! Soy la serpiente del pantano —dice Serpiente orgullosa.

¡La selva, la selva! Los ruidos de la selva.
—¡Chaf! ¡Chaf! ¿Quién es?

Un peligroso mamífero de poco pelo, horripilante y terriblemente bruto. ¡Chaf! ¡Chaf! ¿Quién podrá ser?

—¡Escondeos! ¡Que todo el mundo se esconda! —advierte Serpiente.

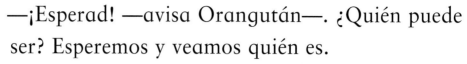

—¡Esperad! —avisa Orangután—. ¿Quién puede ser? Esperemos y veamos quién es.

—¿Esperar el chasquido de las mandíbulas de un cocodrilo? —dice Papagayo.

—¿Esperar turno para los afilados dientes del leopardo? —dice Rana.

—¡Esperad! ¡Esperad! —repite Orangután—. Quiero saber de quién se trata, ¿vosotros no?

Al final, esperaron y descubrieron que se acercaba un cuerpo con dos piernas y dos brazos vestido de verde. Sus ojos brillantes vigilaban con atención, observando los alrededores en busca de algo, pero ¿de qué?

—¡Uu!, de acuerdo —dijo Orangután—. ¡Vamos a escondernos, deprisa!

Papagayo se ocultó entre las hojas de los árboles; Rana, bajo una hoja húmeda y brillante; Serpiente se enroscó junto al pantano, y Orangután trepó a lo alto de un árbol tan rápido como sus fuertes brazos se lo permitieron.

¡Chaf! ¡Chaf! Eran las pisadas del cazador. ¡Chaf! ¡Chaf! ¡Cada vez más cerca!

—¡Coged aire y chillad con fuerza! —dijo alguno de los animales. ¡Ahora, chillad todos a la vez!

¡Parrac! ¡Croac! ¡Sss!
¡Parrac! ¡Croac! ¡Uu!
¡Uu! ¡Ssssss! ¡Sss!

—¡Socorro, socorro! —gritó el cazador, muerto de miedo.

Cuando Orangután vio al cazador alejarse corriendo, avisó a sus amigos:

—¡Coged aire... todos... todos a la vez, ahora!

—¡Parrac! ¡Uu! ¡Croac! ¡Sss! ¡Parrac! ¡Uu! ¡Croac! ¡Sss! —chillaron todos los animales.

El chapoteo de las pisadas del cazador se iba alejando cada vez más. Y tras el silencio, se escucharon otros ruidos, los ruidos de la selva.

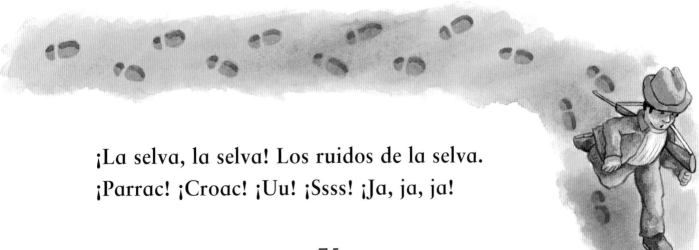

¡La selva, la selva! Los ruidos de la selva.
¡Parrac! ¡Croac! ¡Uu! ¡Ssss! ¡Ja, ja, ja!

Cinco pajaritos

Cinco pajaritos
encontraron un pastel.
Cinco pajaritos
bajaron a comer.

Cinco pajaritos
picotearon un pastel.
Cinco pajaritos
no paraban de comer.

Cinco pajaritos
se terminaron un pastel.
Un sabroso pastel
que la reina no pudo saborear.

Cinco pajaritos
empezaron a volar.
Y la nariz de la sirvienta
quisieron picotear.

Juana y Marcelino

Juana fue al pozo
a llenar un cubo de agua
y resbaló a medio camino.
¡Adiós cubo!
¡Adiós agua!
¡Vaya porrazo que se dio Juana!

Marcelino fue al pozo
a llenar un cubo de agua
y resbaló a medio camino.
¡Adiós cubo!
¡Adiós agua!
¡Vaya porrazo que
se dio Marcelino!

Roli y Poli

Roli y Poli son dos osos polares. Viven en el frío y helado norte, un lugar donde sopla un fuerte viento y nieva mucho. A Roli y Poli les encanta jugar con el hielo y la nieve. No paran de correr y se lanzan bolas de nieve, mientras resbalan y patinan. Pasan el día persiguiéndose y rodando por las pendientes. Ríen y se revuelcan por el suelo, e incluso trepan por los icebergs.

También nadan en el mar azul. Son unos ositos muy felices.

—¡Escúchame! —dice Roli, mientras canta una melodía y golpea el hielo con un palo.

—¡Ahora escúchame tú a mí! —grita Poli—. ¡Hola! ¡Hola! —dice hacia el interior de una cueva. El eco responde «¡Hola!».

—¡Escúchanos! —gritan Roli y Poli, mientras entonan una canción y empiezan a bailar en círculos.

—¡Qué divertido! —ríe Roli.

—¡Es increíble! —exclama Poli.

—¡Mírame! —dice Roli, mientras intenta hacer una gran bola de nieve.

—¡Mírame! —grita Poli pasando a través de un hueco del hielo.

—¡Míranos! —dicen los dos a la vez, mientras se deslizan desde la punta del iceberg hasta la profunda piscina verde.

—¡Chof, chof! —Los dos pequeños osos caen dentro del agua congelada.

—¡Qué divertido! —dice Roli.

—¡Es increíble! —añade Poli.

La piel de los osos es suave, gruesa y agradable. Les mantiene calientes todo el día y no importa si sopla el viento o nieva mucho.

Mientras los osos salen del agua y corren hacia la orilla del mar, sus bocas expulsan vaho como si fuesen chimeneas.

—¡Estoy cansado! —dice Roli.

—Yo también —contesta Poli.

—¡Vamos a descansar un poco! —propone Roli.

—¡Buena idea! —exclama Poli.

Los dos osos echan un vistazo a su alrededor.

—¡Esa enorme roca gris parece un lugar estupendo para reposar! —dice Roli, señalando una figura que sobresale del mar.

—¡Es cierto! —dice Poli—, es un lugar bonito y tranquilo.

Roli y Poli saltan sobre la enorme y apacible roca gris y se disponen a descansar antes de volver a jugar.

—¡Es una roca magnífica! —dice Poli.

—¡Es una roca increíble! —añade Roli.

—¡No recuerdo haberla visto antes! —advierte Poli.

—¡No! —contesta Roli—. Debe de ser nueva.

—¡Tengo muchísimo sueño! —dice Roli.

—Yo también —asiente Poli.

Los dos osos bostezan y se estiran. Después se sientan espalda con espalda y permanecen así observando las olas que golpean bajo la roca.

Los ojos de Roli son los primeros que empiezan a cerrarse. Al cabo de poco rato, Poli también se duerme.

En menos que canta un gallo, los dos osos han quedado profundamente dormidos. Mientras tanto, el cielo empieza a

oscurecerse y las estrellas a brillar. La luna, grande y plateada, observa la escena desde lo alto.

De repente, la roca gris empieza a moverse y se desliza hacia el interior del frío océano, alejándose de los icebergs y surcando las olas. Se balancea siguiendo el camino que el reflejo de la luna dibuja en el mar.

En realidad, la gran roca gris no es una roca, sino el lomo de una ballena, que se acaba

de despertar y
ha decidido ir a nadar. Ella ignora
que lleva dos ositos dormidos en su espalda. La
ballena decide zambullirse, mientras el agua helada se remolina a su alrededor.

—¡Uy! —grita Roli al despertarse en medio del agua.

—¡Uy! —exclama Poli mientras una ola le salpica en plena cara.

Los dos osos están flotando en las oscuras aguas del mar, muy lejos de su casa.

—¡Uy! —exclaman los dos a la vez—. ¡Uy!

La ballena oye gritar a los osos y sube a la superficie.

—¿Se puede saber qué hacéis aquí vosotros dos a estas horas de la noche? —pregunta.

—¡No lo sé! —dice Roli.

—¡No lo sé! —repite Poli.

—¡No lo sabemos! —sollozan Roli y Poli a la vez.

—Bueno, os llevaré a casa —dice la ballena. Y los dos osos suben a su lomo.

—Tu espalda se parece mucho a la roca gris en la que nos hemos sentado —dice Roli.

—Creo que tu espalda es la roca gris en la que nos hemos sentado —dice Poli.

Cuando los dos osos se dan cuenta de que pronto estarán a salvo, vuelven a reírse y se disponen a disfrutar del viaje a la luz de la luna.

—¡Qué divertido! —ríe Roli.

—¡Es increíble! —añade Poli.

—Gracias —dicen a la ballena.

Después de muchas horas, vuelven a estar en casa. Mamá osa está contenta de ver a sus crías sanas y salvas. Abraza a la ballena para darle las gracias y le ragala un hermoso chal de color rojo. La ballena se aleja nadando y les dice adiós con su gran cola.

—¡Adiós! —dice Roli.

—¡Adiós! —repite Poli.

—¡Buenas noches! —dicen Roli y Poli.

El hombrecillo de mazapán

Érase una vez un hombrecillo y una mujercita ancianos que vivían muy felices, pero no tenían hijos. Así que un día decidieron crear a su propio hijo. El cuerpo del niño lo hicieron con mazapán, para los ojos y la nariz utilizaron pasas, y para formar la boca eligieron un trozo de piel de naranja. Una vez terminado, lo pusieron a cocer en el horno.

Cuando estuvo cocido, la anciana abrió la puerta del horno y... el hombrecillo de mazapán saltó del interior y empezó a correr.

—¡Vuelve! ¡Vuelve! —gritaron los ancianos mientras corrían tras él tan rápido como podían.

Pero el hombrecillo se reía y cantaba:

—¡Corred, corred con gran afán!
¡No me podréis atrapar,
soy el hombrecillo de mazapán!

Los ancianos no pudieron alcanzarlo y lo dieron por perdido. El hombrecillo de mazapán corrió y corrió hasta que encontró una vaca.

—¡Muuu, muuu! —mugió la vaca—. ¡Detente, quiero comerte!

—¡Jo, jo! —rió el hombrecillo—. He huido de unos ancianos y ahora huiré de ti.

La vaca empezó a perseguir al hombrecillo de mazapán por todo el prado, pero el hombrecillo corría muy deprisa y cantaba:

—¡Corred, corred con gran afán! ¡No me podréis atrapar, soy el hombrecillo de mazapán!

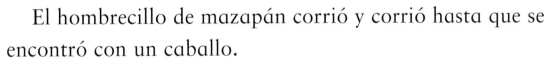

Finalmente, la vaca se dio por vencida; aquél hombrecillo corría demasiado rápido.

El hombrecillo de mazapán corrió y corrió hasta que se encontró con un caballo.

—¡Hiiii, hiiii, hiiii! —relinchó el caballo— ¡Detente, quiero comerte!

—¡Jo, jo! —rió el hombrecillo—. He huido de unos ancianos y de una vaca, y ahora huiré de ti.

El caballo empezó a galopar por el prado persiguiendo al hombrecillo de mazapán, pero el hombrecillo corría muy deprisa y mientras huía no paraba de cantar:

—¡Corred, corred con gran afán! ¡No me podréis atrapar, soy el hombrecillo de mazapán!

El caballo no pudo atraparlo y el hombrecillo de mazapán corrió y corrió hasta llegar a un parque que estaba repleto de niños que jugaban.

—¡Eh, hombrecillo de mazapán! —dijeron los niños—. ¡Detente, queremos comerte!

—¡Jo, jo! —rió el hombrecillo—. He huido de unos ancianos, de una vaca y de un caballo, y ahora huiré de vosotros.

Los niños empezaron a perseguir al hombrecillo de mazapán por todo el parque, pero el hombrecillo era demasiado rápido para ellos.

Mientras corría no dejaba de cantar:

—¡Corred, corred con gran afán! ¡No me podréis atrapar, soy el hombrecillo de mazapán!

El hombrecillo de mazapán se sentía muy orgulloso de sí mismo.

—Nadie podrá comerme —pensó mientras se dirigía al río—, soy el más listo del mundo.

De pronto, delante suyo apareció un zorro.

—He huido de unos ancianos, de una vaca, de un caballo y de un montón de niños, y ahora huiré de ti —exclamó el hombrecillo de mazapán. Y entonces cantó de nuevo—. ¡Corred, corred con gran afán! ¡No me podréis atrapar, soy el hombrecillo de mazapán!

—No quiero comerte —dijo el zorro sonriendo—. Sólo quiero ayudarte a cruzar el río. Si saltas sobre mi cola, te transportaré a la otra orilla.

—De acuerdo —dijo el hombrecillo de mazapán, e hizo lo que el zorro le había indicado.

Cuando el zorro hubo nadado un poco, se volvió al hombrecillo de mazapán y le dijo:

—Tengo la cola cansada, ¿por qué no subes a mi lomo?

Y el hombrecillo subió al lomo.

Poco después, el zorro le dijo:

—Acabarás empapado, ¿por qué no subes a mi hombro?

Y el hombrecillo trepó hasta el hombro.

Poco después, el zorro dijo al hombrecillo de mazapán:

—Tengo los hombros cansados. Súbete a mi hocico, de esta manera no te mojarás.

El hombrecillo, una vez más, siguió las indicaciones que el zorro le daba, y antes de que se diera cuenta, el zorro lo lanzó por los aires y lo engulló de un solo mordisco.

¡El pobre hombrecillo de mazapán no era tan listo como él creía!

Luna lunera

Luna lunera,
cascabelera,
toma dinero
para canela.
Luna lunera,
cascabelera,
debajo de la cama
tienes la cena.

Brilla estrella

Brilla estrella,
y mientras la mira,
la niña desea
tomarla en su mano
para jugar con ella.

La nana

Pajarito que cantas
escondido en una rama
no despiertes al niño
que está en la cama.
Ea la nana, ea la nana,
duérmete lucerito
de la mañana.

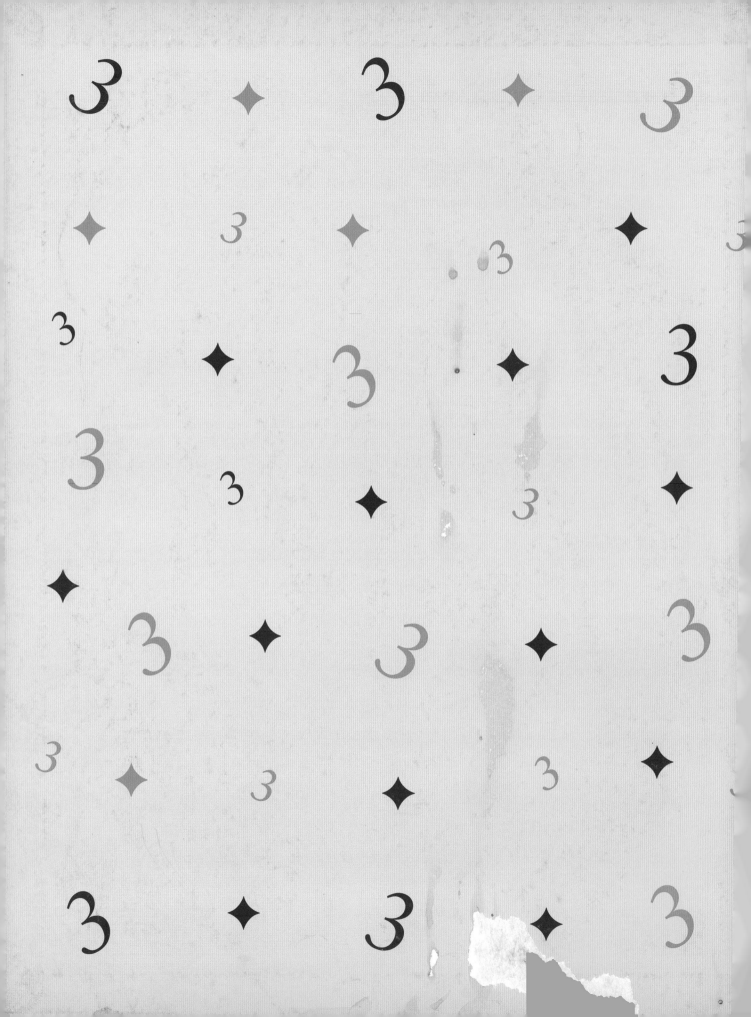